P9-ECR-234

# ¿cuántos son?

Concepto: **Roberto Villaseñor**
Diseño e ilustración: **Maribel Suárez**

*grijalbo*

**¿CUÁNTOS SON?**

D.R. © 1992 por EDITORIAL GRIJALBO, S.A. de C.V.
Calz. San Bartolo Naucalpan núm. 282
Argentina Poniente 11230
Miguel Hidalgo, México, D.F.

PRIMERA EDICIÓN



ISBN 970-05-0317-8

IMPRESO EN MÉXICO

Esta obra se terminó de imprimir
en el mes de septiembre de 1992
en Litográfica SAVIR, S.A.
cda. de Progreso núm. 30 local 1-2
México 21 D.F.

La edición consta de 5,000 ejemplares

¿Cuál de los dos perros tiene más huesos?

¿Qué hay más?, ¿elotes o cuervos?

¿Cuántos huevos son?

¿Cuántos pollitos son?

¿Cuántos peces son?

¿Cuántos pingüinos son?

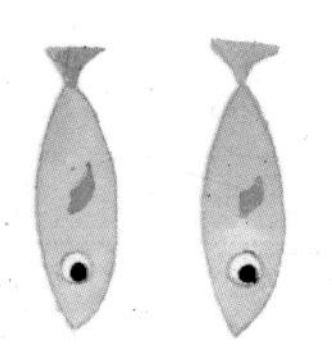

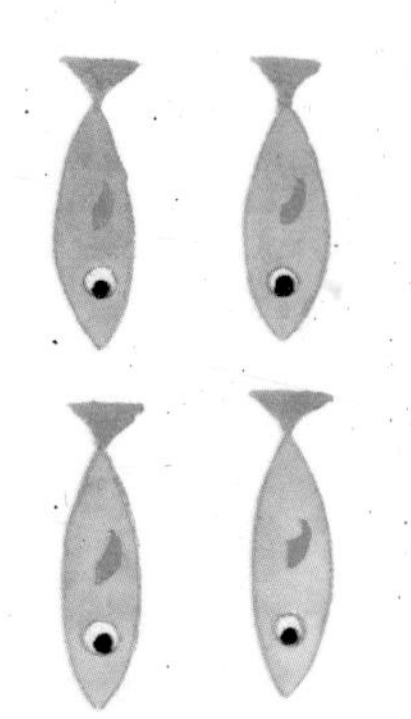

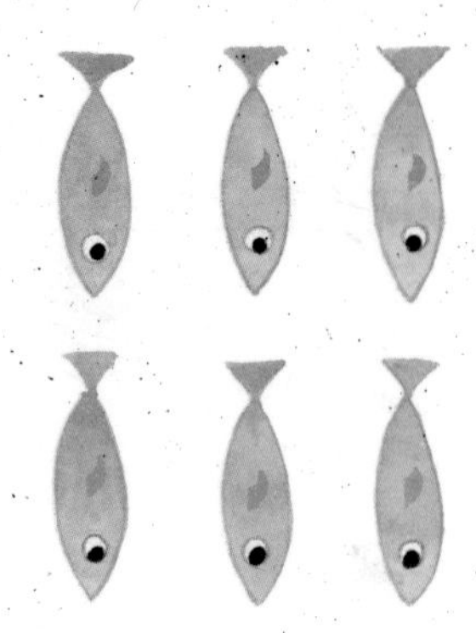

¿Cuántos pedazos de queso son?

¿Cuántos ratones son?

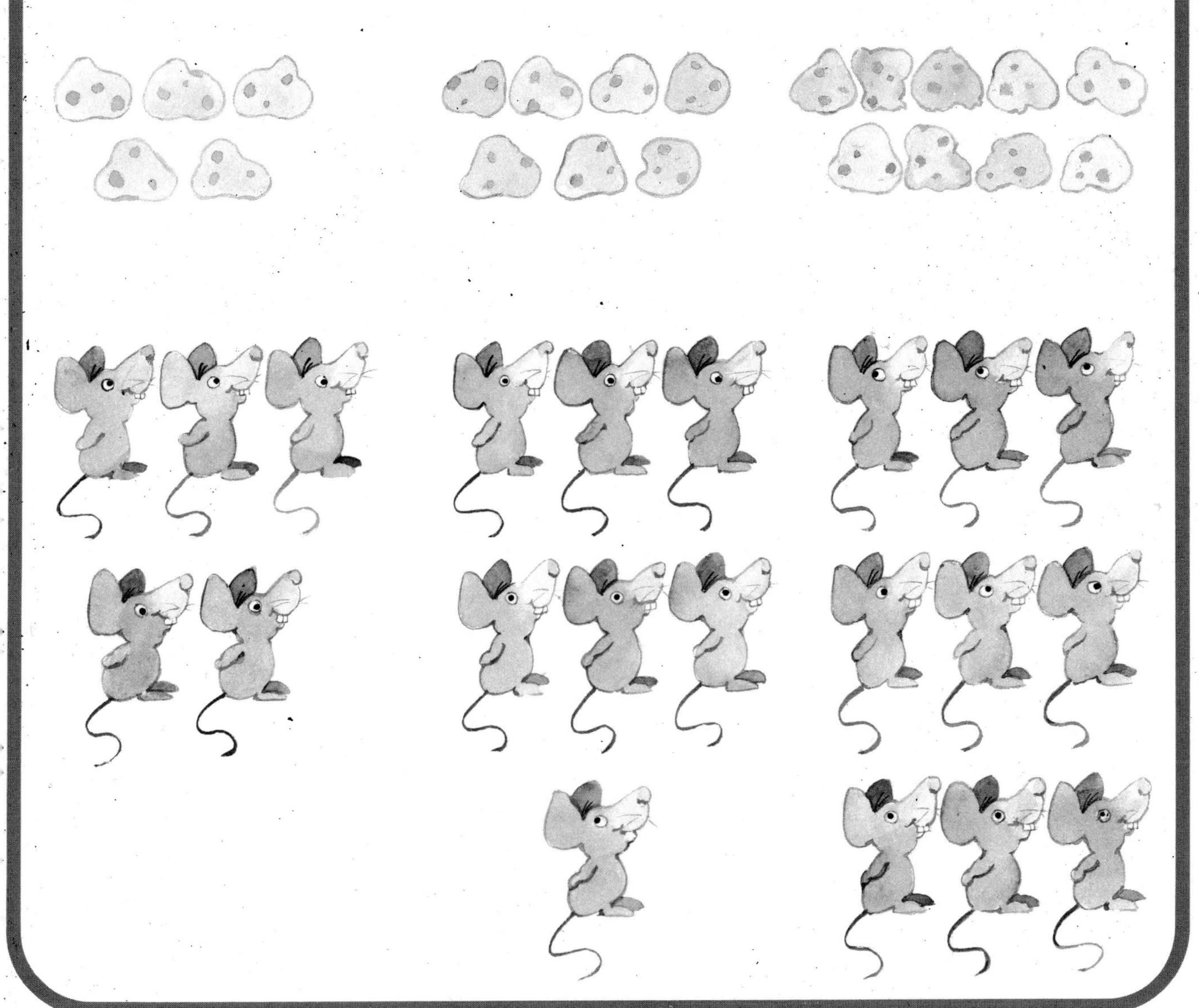

¿Dónde hay más langostas?

¿Qué hay menos?, ¿conejos o zanahorias?

¿Hay igual número de zarigüeyas en la fila de arriba que en la de abajo?

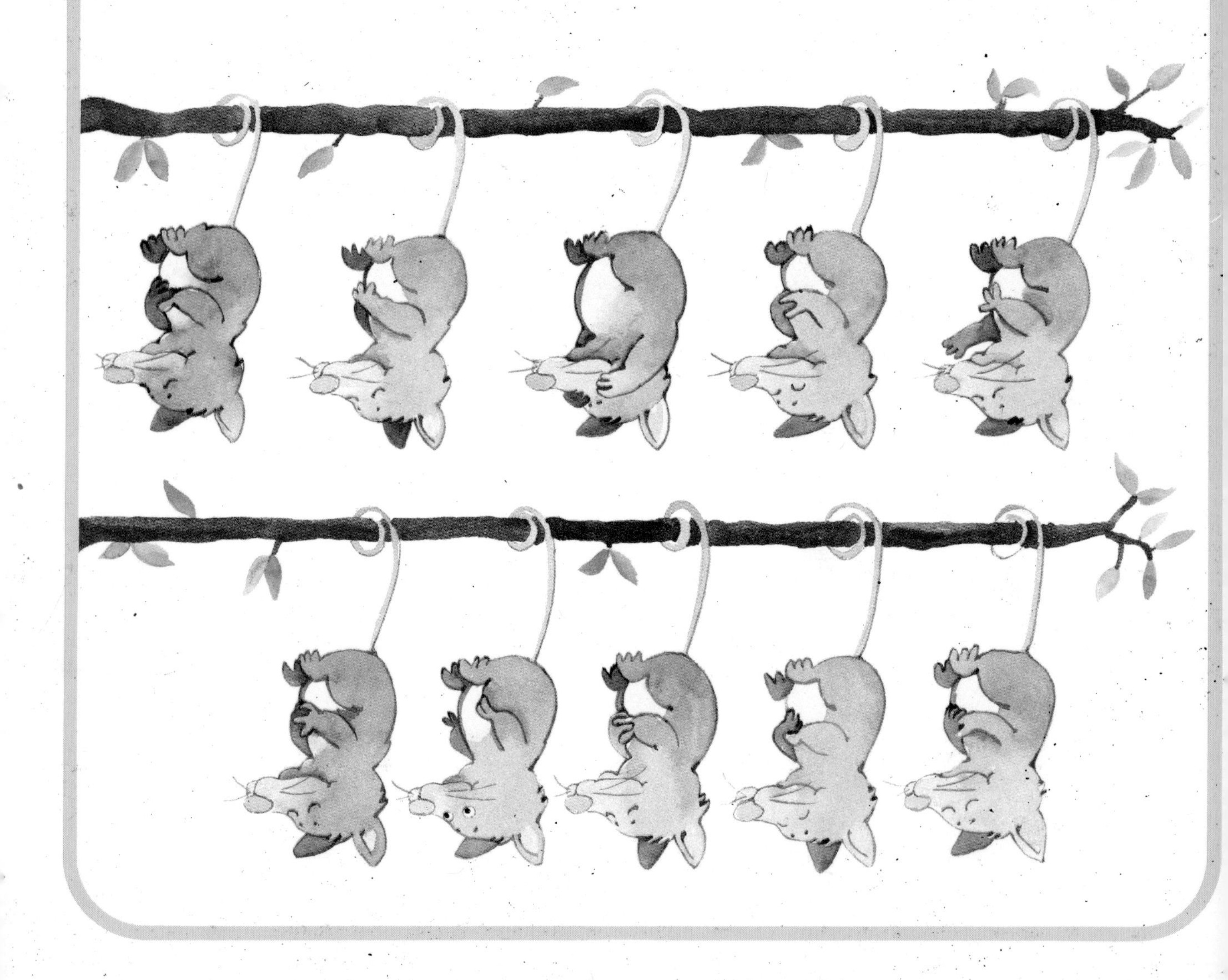

¿Hay igual número de lagartijas en la columna de la izquierda que en la de la derecha?

Dibuja con crayón abajo de cada fila otra igual

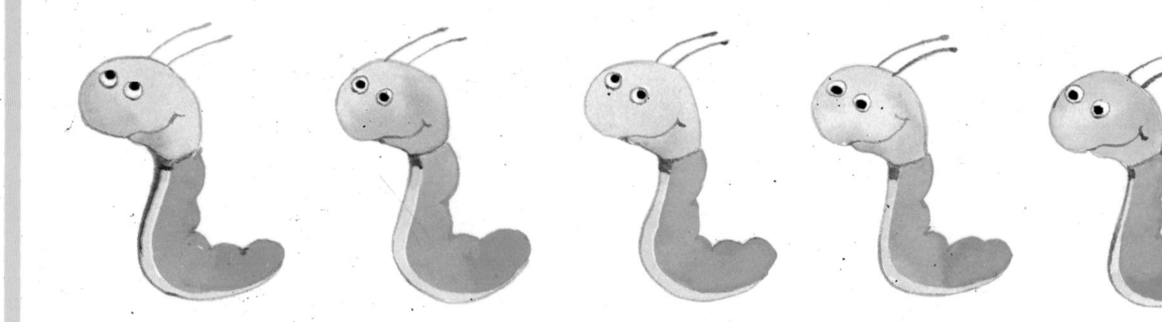

¿Qué hay menos?, ¿tortugas o lechugas?

¿Qué hay más?, ¿madrigueras o topos?

Une con una línea a cada oso con su tarro de miel

**Une con una línea a cada gato con su bola de estambre**